Dessin d'enfant page de garde avant : © Cerise Neisse
Dessin Ernest et Célestine page de garde arrière : Gabrielle Vincent.

© Casterman 2012
© 2012 LES ARMATEURS / MAYBE MOVIES / STUDIOCANAL / FRANCE 3 CINEMA /
LA PARTI PRODUCTION / MELUSINE PRODUCTIONS / RTBF (TELEVISION BELGE)

ISBN 978-2-203-06088-3
N° d'édition : L.10EJDN001095.N001

Achevé d'imprimer en septembre 2012, en Italie.
Dépôt légal novembre 2012; D 2012/0053/384
Déposé au ministère de la Justice (loi n° 49.956 du 16 juillet 1949 sur les publications destinées à la jeunesse).

Ernest et Célestine

l'album du film

casterman

Dans le monde d'en bas, vivent les souris. Et dans le dortoir de l'orphelinat, une terrible surveillante, surnommée La Grise, terrorise les souriceaux avec une horrible histoire, toujours la même : l'histoire du Grand Méchant Ours.
« Là-haut, dans le monde des ours, si vous ne vous méfiez pas, le Grand Méchant Ours vous attrapera, vous dévorera… ».
Et chaque soir, toutes les petites souris tremblent à l'idée que le Grand Méchant Ours ne descende jusqu'à elles.
Toutes, sauf Célestine. Elle, elle s'amuse même à les dessiner, les ours !

Célestine aimerait d'ailleurs être peintre ou dessinatrice. Malheureusement, on exige qu'elle soit dentiste. C'est qu'il n'y a rien de plus important au monde que les dents chez les souris. Surtout les incisives !

Ce soir, c'est la première fois que Célestine doit quitter le monde d'en bas pour une mission très spéciale : récolter le plus de dents possible sous l'oreiller des oursons endormis.

Il faut faire cela la nuit, en se cachant, bien sûr, et en ne faisant aucun bruit.
(Car, n'oublions pas, le Grand Méchant Ours rôde…)

Célestine pointe le nez dans le monde d'en haut. Il fait noir, elle a un peu peur, elle ne sait où aller. Dans la pénombre de cette nuit d'hiver, l'enseigne du *Roi du Sucre* attire son attention. « Dans un magasin de bonbons, il doit y avoir au moins un ourson ! » se dit-elle en pénétrant clandestinement dans la maison. Mais elle n'est pas assez discrète.

Le confiseur la repère !
En un instant, il se met à poser des centaines de pièges sur le chemin menant à l'étage. Célestine arrive néanmoins jusqu'à une chambre. Le père ours furieux la poursuit.

Elle ruse, enfouit sa patte sous un oreiller… court, s'échappe et trouve finalement refuge dans une poubelle. Superbe cachette !

Célestine est tout de même très ennuyée : dans sa précipitation, elle n'a récolté qu'une seule petite dent de rien du tout.

Au matin, elle est réveillée par une énorme main qui se referme sur son cou.

Horreur ! Un ours affamé la regarde et ouvre une gueule immense ; mais pas question pour Célestine de se laisser faire !

– Comment tu t'appelles ?

– Ernest, répond l'ours. Pourquoi ?

– Bonjour, Ernest, moi c'est Célestine. Tu veux me manger, Ernest ?

Tu penses que c'est moi, une toute petite souris, qui vais te rassasier ?

Non mais, regarde-moi. Je n'ai que la peau sur les os !

– Et puis, il faut que tu arrêtes de manger dans les poubelles,
ce n'est pas bon pour la santé.

Futée, Célestine a soudain une idée.
– Suis-moi, Ernest ! Grâce à moi, tu vas faire un festin
dont tu te souviendras longtemps !

Alléché par cette perspective, Ernest, ce gros glouton,
se laisse entraîner devant le soupirail du confiseur.
Et qu'y voit-il ?
La réserve du magasin… facile d'accès, en plus !
Impossible de résister !

Une fois à l'intérieur, Ernest mange tout ce qu'il voit : bonbons, gâteaux, caramels, tout y passe !

Laissant Ernest s'empiffrer, Célestine rejoint les souterrains du monde d'en bas.
Il est temps de rentrer, on l'attend !

Le chef des dentistes n'est pas content, mais alors pas content du tout :

– C'est tout ce que tu me rapportes, Célestine ? Une seule dent ?

La petite souris tente bien de se défendre, d'expliquer que ce travail n'est pas simple, qu'il est même très difficile, le chef ne veut rien entendre :

– **Cinquante-deux dents**, Célestine, tu ne redescendras ici qu'avec cinquante-deux dents !

– Comment vais-je faire ? soupire la petite souris. Je déteste ce travail.
Moi, tout ce que je demandais, c'est qu'on me laisse dessiner tranquille !

Après des heures d'errance dans toute la ville d'en haut, Célestine tombe par hasard sur un magasin qui vend des dents pour remplacer celles que perdent les ours devenus vieux. Dans la vitrine s'alignent des centaines d'incisives, des milliers de molaires.

– C'est exactement ce qu'il me faut, mais comment les emporter ?
se demande-t-elle en observant discrètement les lieux.

À cet instant, un terrible vacarme éclate derrière elle.

C'est Ernest qui grogne, les mains ligotées dans le dos.

– Voilà ce qui arrive aux voleurs de bonbons ! hurle un policier en jetant le malheureux dans un fourgon.

– Mais, elle est là la solution ! murmure Célestine.

Sans se faire voir, elle parvient à sauter à l'arrière de la camionnette et se met à chuchoter :

– Si je te libère, Ernest, est-ce que tu me rendrais un petit service… un énorme service… et même le plus grand service du monde ?

Muselé, le gros ours ne peut qu'opiner de la tête pour montrer qu'il est d'accord !

En quelques secondes, Célestine parvient à ronger les liens d'Ernest.
– Qu'est-ce qu'on fait, maintenant ? demande-t-il, grognon.
– Sautons d'abord du fourgon, je t'expliquerai mon plan, après !

Le soir même, les deux compères se retrouvent devant le magasin *La Dent dure*.

– Voilà ! Je veux que tu m'aides à emporter toutes ces dents, lui dit Célestine.

– Mais j'ai sommeil, moi ! grogne le gros ours.

– Tu as promis, Ernest !

L'ours bougon s'exécute donc en soulevant d'un coup brusque le rideau de fer du magasin.

En deux temps, trois mouvements, la vitrine est vidée.

– Euh… Ernest ? demande alors Célestine. Tu veux bien m'accompagner dans le monde d'en bas ? Je sais que c'est interdit, mais je n'arriverai jamais à porter ce gros sac de dents toute seule…

– Et après, on est quittes ?

– On est quittes.

Le lendemain matin, Célestine, très fière,
déverse son sac devant le chef des dentistes.

– Mais, mais c'est incroyable, Célestine, s'exclame celui-ci. Bravo, bravo, bravo !
Et tandis que tous les dentistes l'acclament pour son exploit, des hurlements
de terreur couvrent les cris de joie. La Grise fait irruption dans la pièce,
complètement paniquée.
– Au secours ! Un ours, un ours immense s'est introduit chez nous !
C'est Célestine qui l'a fait entrer ! J'en suis sûre. On l'a vue. Attrapez-les !

Paniqué, Ernest prend Célestine dans ses bras et tous deux s'enfuient à travers la ville, provoquant une grande frayeur sur leur passage.

Une horde de policiers est lancée à leurs trousses !

– Plus vite, Ernest, plus vite, supplie Célestine
alors qu'ils atteignent le monde d'en haut.

Malheureusement, là aussi, les policiers sont sur leurs traces.

Une seule solution : s'enfuir en empruntant la camionnette du livreur qui est en train de remplir la cave du *Roi du Sucre*.

(Il y a de quoi faire : tout a été mangé par Ernest !).

– Filons ! s'exclame Ernest en prenant le volant.

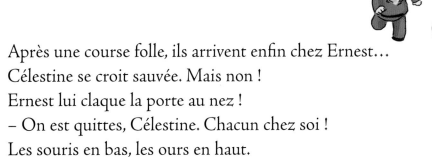

Après une course folle, ils arrivent enfin chez Ernest…

Célestine se croit sauvée. Mais non !

Ernest lui claque la porte au nez !

– On est quittes, Célestine. Chacun chez soi !

Les souris en bas, les ours en haut.

On ne se mélange pas, c'est comme ça !

Mais on ne se débarrasse pas aussi facilement d'une souris et encore moins de Célestine !

– Toi en haut et moi en bas ? D'accord, Ernest. Moi à la cave et toi dans la maison !
Ernest, à court d'arguments, cède.
– Et, puisque tu ne m'as pas dévorée, moi je vais te dessiner.

Et Célestine se met à dessiner Ernest. Et Ernest aime les dessins de Célestine.
La voilà même invitée « au-dessus ».
Elle peint alors son nouvel ami, jour et nuit : en clown, en musicien, même en…
Grand Méchant Ours… pour rire ensemble et se moquer de ceux qui croient
à ces histoires de monstres.

Les jours passent, le printemps arrive. Ernest et Célestine, devenus les meilleurs amis du monde, mettent le nez dehors pour profiter des beaux jours.
Ils se sont tellement amusés pendant cet hiver qu'ils ont complètement oublié que le pays tout entier est à leur recherche.

Mais les policiers, eux, ne les ont pas oubliés du tout ! Ils cernent la maison !

Les ours n'ont aucune peine à capturer la pauvre Célestine.

Ils la jettent dans une cellule bien trop grande pour elle, destinée habituellement aux ours criminels.
Pourtant, une seule pensée obsède Célestine :
– Que va devenir mon Ernest ?

Ernest, lui, est emprisonné dans une cellule pour souris, bien trop étroite pour sa grande carcasse. Il trépigne :
– J'espère que Célestine va bien.

Célestine est jugée au tribunal des ours pour complicité de vol, trafic de dents, délit de fuite…

Tandis qu'au tribunal des souris, Ernest est jugé pour association de malfaiteurs, évasion, destructions en tous genres…

Mais aucun des deux ne dénonce l'autre.

– Où se cache votre complice Célestine ?
– Je ne vous le dirai pas, répond Ernest. Je ne vous le dirai jamais !
– Espèce d'insolent ! s'énerve le juge des souris, qui est une grosse marmotte colérique.
Il est si furieux qu'il renverse sa lampe à pétrole.

Le feu prend aussitôt. L'estrade où se tient la Cour s'embrase.
Les flammes lèchent le plafond.

L'incendie, très puissant, se propage rapidement au tribunal des ours, situé juste au-dessus.
Tout le monde cherche à sauver sa peau et la foule se rue vers la sortie.
Au tribunal des souris, seul le juge reste prisonnier des flammes.

N'écoutant que son courage, Ernest se précipite pour sauver le juge souris.

Dans le monde d'en haut, tout le monde s'enfuit également. Sauf le juge-ours, en train de flamber ! Voyant cela, sans hésiter une seconde, Célestine revient sur ses pas et elle parvient à emmitoufler le juge dans la grande tenture rouge du tribunal. Sauvé !

– Personne ne m'a aidé sauf toi, Célestine ! Dis-moi, si on s'en sort vivants, qu'est-ce qui te ferait vraiment plaisir ?
– Retrouver Ernest, dit Célestine.

En bas, le juge-marmotte pose exactement la même question à Ernest.
– Moi, tout ce que je veux, c'est retrouver Célestine, répond Ernest.

Libérés rapidement, Ernest et Célestine se précipitent dans les bras l'un de l'autre. Rentrés chez eux, ils retrouvent leur bonheur paisible.

– Tu ne trouves pas que notre aventure est extraordinaire ? demande Célestine à Ernest.
– Bien plus passionnante que tes histoires de Grand Méchant Ours, répond Ernest.

– Et si je dessinais notre rencontre ? s'exclame Célestine en prenant son pinceau.

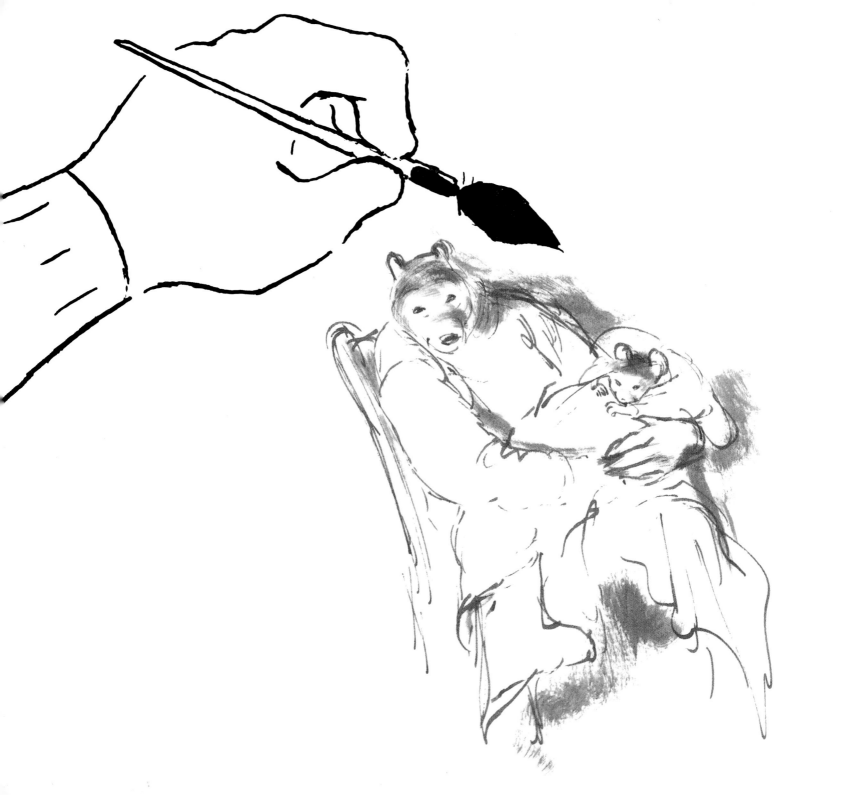